사소한 연극[1]

에우리피데스 『바쿠스의 시녀들』[2]의 어떤 판본

프롤로그

(디오니소스 등장)

디오니소스:

디오니소스는 누구인가?

(코러스 등장)

코러스:

코러스 입장.

제1막.

여기 디오니소스가 있다.

그는 신이다.

디오니소스:

너희는 신들이 어떤 것에서 쾌감을 느끼는지 아느냐?

코러스:

신들은 정점에서 쾌감을 느낀다.

디오니소스:

그러면 정점이란 무엇인가?

코러스:

정점은 핀의 꼭대기다.

디오니소스:

우리에게 핀이 있는가?

코러스:

가서 좀 가져와.

(디오니소스 퇴장)

코러스:

제1 합창곡

고정용 박판

황동 고정못

버클

버튼

클램프

(또는 크램프)

탈락방지 나사

랍스터 걸쇠

클레코 고정장치

클립

원형 클립

종이 클립

클러치 핀

플랜지

매듭 단추

그로밋

앵커 볼트

못

집게

클레비스 핀

코터 핀

다월 핀

린치핀

R 클립

스냅 링

리벳
고무 밴드
스크루 앵커
자동 고정 죔쇠
나사산 인서트
너트
스크루
징
비녀장

벨크로
웨지 앵커
(안전결선도 보라)
지퍼

궁금한 점이 있으면
이것을 참조하세요
고정구 품질 관리법(FQA)
공법 101-592
주의:
FQA 위반 긴급전화

는
오직

위반 사례
신고용으로서
호소 또는 협박
용도로 사용 불가

(테베 시민들 등장)

시민들:

제2막.
시작할 준비됐어?

코러스:

응 그런 거 같아.

모두:

그렇다면!

시민 1:

탁자에 지도를 펼쳐라.

시민 2:

고물에 등불을 달아라.

시민 3:

네 파카 가져와.

시민 4:

멜론 가져와.

시민 5:

고분자화합물 가져와.

시민 6:

핀 가져와!

모두:

우리는 산을 넘어가
피부를 교환할 것이다!

(아가베 등장)

아가베:

잠깐 나도 간다!

나는 아가베.
내게는 나만의 핀들이 있고
나는 티르소스[3]를 가져간다.

(시민들과 티르소스를 든 아가베 퇴장)

(디오니소스 & 테베의 왕 펜테우스 등장)

펜테우스:

제3막.
그래 당신은 이 깨끗하고 환한 날에
내 기분이 어떠한지 물었소?

디오니소스:

내가 물었다고?
나는 그렇게 생각하지 않아.

펜테우스:

그리고 나를 보고 그런 식으로 웃으면
내가 당신을 체포할 수도 있다는 걸 알고 있소?

디오니소스:

내가 웃었다고?
나는 그렇게 생각하지 않아.

펜테우스:

그리고 같이 산을 넘어가는 문제로 말하자면
내 답은 절대 아니올시다지.

디오니소스:

아 새끼 고양이여, 어리석기는! 사람들이 하는 말이 있지 –
돈만 안 받으면 아무도 그걸 방탕하다고 하지 않아.

펜테우스:

내 신경은 너덜너덜하지만,
그렇다면, 좋다!

펜테우스 & 오디세우스:

우리는 비극적! 우리는 라벤더! 투셰(touché)![4]

(디오니소스 & 펜테우스 퇴장)

코러스:

제4막 전 간주.
신의 머리 위에서 얼마나 많은 핀이 춤출 수 있는가?
내 머릿속 춤에 당신은 얼마나 많은 왕을 핀으로 고정시킬 수 있는가?
그였던 그 여성에게 얼마나 많은 춤이 얼룩을 남겼는가?
얼마나 많은 얼룩이 그의 입을 막았을까, 오 아가베여!

(피를 뒤집어쓴 아가베가 펜테우스의 머리를 꿴 티르소스를 들고 의기양양하게 등장)

아가베:

오!

코러스:

말하라, 아가베여.

아가베:

나는 핀들과 함께 왔다.

코러스:

핀들을 환영한다.

아가베:

나는 이들을 더럽혀 포획물로 삼았다.

코러스:

우리는 그들을 포획하여 왕으로 삼았다.

아가베:

얼마나 많은 왕이 –

코러스:

당신이 뺨을 찢었는가?

이가베:

얼마나 많은 뺨이 –

코러스:

당신이 그 어미의 여린 입에 핀을 찔러 넣었는가?

아가베:

그녀는 얼마나 많은 입이 필요 –

코러스:

그 고깃덩어리를 끝장내려고?

아가베:

그리 많이는 아니야.

코러스:

행운의 숫자?

아가베:

영리한 숫자.

코러스:

현실적인 숫자?

아가베:

장난 같은 숫자.

(아가베가 한 손으로 티르소스를 높이 쳐들었다가 기분이 바뀜에 따라 서서히 내림)

하지만 그렇다면 다시,
사실은, 숫자라고 할 정도도 아니야.

코러스:

그래도 숫자를 생각해본다면?

아가베:

형편없이 작은 숫자.

코러스:

그걸 자세히 뜯어본다면?

아가베:

그저 흐느낌 한 번의 숫자.

코러스:

오 아가베여!

아가베:

왜?

코러스:

너의 흐느낌에는 이름이 있다.

아가베:

이 말장난 같은 머리통에서 얼마나 많은 이름을 들춰낼 수 있을까?

코러스:

딱 하나.

아가베:

오 내 아들!

(아가베가 펜테우스의 머리통이 꿰인 채로 티르소스를 관객에게 던진다)

코러스:

마지막 힙창곡.
자초지종은 이렇다.
신들에게는 공명판이,
나무가,
플라스틱이,
종이가,
사진이,
물감이,
잉크가,
아교가,
금속이,
유리가,
대나무가,
발견된 유화 그림들이,
에폭시 퍼티가,
BTV 레진이,
안전결선이,
부드러운 파스텔이 있지.
우리에겐 핀들이 있어.
우리는 101×40×23을 주문했지.

그들은 210.8×129.5×119를 주었다네.
예기치 못한 것을 말하자면
신들이 방법을 찾았다는 것.
인간의 지혜가 (늘 그렇듯이)
기하급수적으로 부식할 예정임을 드러냈지.
그리고 도리스,
이것이 당신이 이 코러스에서
얻을 모든 것.
이렇게 연극은 끝난다.

(일동 퇴장)

[1] 원제목인 'Pinplay'는 '핀 장난'이라는 뜻으로 해석되기도 한다.
[2] 에우리피데스의 현존하는 마지막 작품으로 알려진 이 작품은 신인 디오니소스와 외사촌인 테베의 왕 펜테우스, 이모인 아가베 사이에 벌어지는 비극을 다룬다. 디오니소스는 인간인 어머니 세멜레와 신 중의 신인 아버지 제우스 사이에서 태어나 신으로 인정받지만, 남다른 출생 이력 때문에 신계와 인간계 양쪽에서 의심을 받는 존재다. 펜테우스가 디오니소스의 신력을 의심하며 모욕하자 디오니소스는 그를 꾀어 여자들만이 참석할 수 있다고 알려진 디오니소스 축제에 초대한 다음 환각에 빠진 아가베로 하여금 제 아들을 살해하게 한다.
[3] 티르소스(thyrsus)는 일명 디오니소스의 지팡이로, 디오니소스와 그를 따르는 시종들과 무녀들이 드는 지팡이다. 끝에 솔방울이 달리고 담쟁이덩굴이 감겨 있다.
[4] 만지다, (악기 등을) 치다, 손을 대다, 건드리다 등을 뜻하는 프랑스어 동사 toucher의 과거분사형이며 어떤 일로 인해 흥분한 상태를 나타내는 형용사로도 쓰인다.